Trois petits tours

Michel Tremblay

Trois petits tours

LEMÉAC

Données de catalogage avant publication (Canada)

Tremblay, Michel, 1943-

   Trois petits tours

   (ThéâtreLeméac)

   2-7609-0052-5

   I. Titre. II. Titre: 3 petits tours.

PS8539.R45T76 1986   C842'.54   C86-096092-7
PS9539.R45T76 1986
PQ3919.2.T73T76 1986

Pour obtenir le droit et les conditions pour présenter *Trois petits tours*, veuillez communiquer avec l'agent autorisé des auteurs, John C. Goodwin, 4235, avenue de l'Esplanade, Montréal (Québec), Canada H2W 1T1.

Photo de la couverture: Louise Lemieux
Maquette de la couverture: Jacques Léveillé

ISBN 2-7609-0052-5

© Copyright Ottawa 1986 par Les Éditions Leméac Inc.
Dépôt légal — Bibliothèque nationale du Québec
2e trimestre 1986

Imprimé au Canada

TROIS PETITS TOURS...

tryptique composé de

Berthe

**Johnny Mangano
and his Astonishing Dogs**

Gloria Star

Michel TREMBLAY est né le 25 juin 1942 à Montréal dans un quartier populaire. Après sa 11ᵉ année il s'inscrit aux Arts graphiques et de 1963 à 1966 il exerce le métier de typographe à l'Imprimerie judiciaire. Sa première pièce, *le Train*, qu'il a écrite à dix-sept ans, remporte en 1964 le premier prix du Concours des Jeunes auteurs de Radio-Canada.

En 1965, Michel Tremblay écrit *Les Belles-Sœurs*. Cette pièce est créée en 1968 par le Théâtre du Rideau Vert à Montréal et sera produite à Paris en 1974 par la Compagnie des deux chaises où elle est reconnue la meilleure pièce étrangère de l'année. Depuis le succès des *Belles-Sœurs* en 1968, Michel Tremblay se consacre entièrement à l'écrit dramatique. Parmi ses pièces les plus marquantes, créées à Montréal, mentionnons: *En pièces détachées* en 1969; *À toi, pour toujours, ta Marie-Lou* en 1971 et reprise en 1974; *Hosanna*, créée en mai 1973, est présentée l'année suivante au Tarragon Theatre de Toronto et, par la Compagnie des deux chaises, au Bijou Theatre à New York en 1975; *Bonjour là, bonjour* en 1974, reprise en 1980 par le théâtre du Nouveau Monde; en 1976, la Compagnie Jean Duceppe crée *Sainte Carmen de la Main*, la pièce la plus ouvertement «engagée» de Tremblay, jouée en anglais à Toronto en 1978 et reprise en français par le théâtre du Nouveau Monde à la fin de la saison 1978; *Damnée Manon, Sacrée Sandra* en 1976, reprise en 1980. Ainsi prend fin le «cycle des *Belles-Sœurs*».

En avril 1980, la pièce *l'Impromptu d'Outremont* est créée à Montréal au Théâtre du Nouveau-Monde. Elle est reprise au Théâtre Port Royal de la Place des Arts de Montréal à l'hiver 1980. Sa plus récente pièce, *Les anciennes odeurs* était créée au Théâtre de Quat'Sous en 1981. En 1974, Tremblay signe le scénario de son premier long métrage, *Il était une fois dans l'Est*, réalisé par André Brassard. Un autre film de Tremblay-Brassard, *Le soleil se lève en retard*, sera lancé l'année suivante.

Michel Tremblay a publié en 1978 le premier ouvrage des Chroniques du Plateau Mont-Royal, *La grosse femme d'à côté est enceinte*. En 1979, l'œuvre est publiée en France, chez Robert Laffont. Le deuxième roman de ce cycle romanesque, intitulé *Thérèse et Pierrette à l'école des Saints-Anges*, est publié en 1980, puis en France, chez Grasset, en 1983. Le troisième, *la Duchesse et le roturier*, est paru en 1982, et chez Grasset, en 1984. Enfin, en 1984, un quatrième roman venait s'ajouter au cycle : *Des nouvelles d'Édouard*.

Depuis 1964, Michel Tremblay a écrit une quinzaine de pièces de théâtre, deux comédies musicales, un recueil de contes, six romans, quatre scénarios de films. Il a adapté pour la scène des pièces de Aristophane, de Paul Zindel, de Tennessee Williams, Dario Fo, Tchékhov et Gogol.

Il a reçu en 1974 le Prix Victor-Morin décerné par la société Saint-Jean-Baptiste de Montréal. En 1976, il s'est vu attribuer la Médaille du Lieutenant-gouverneur de la province de l'Ontario. Il fut plusieurs fois titulaire d'une bourse du Conseil des Arts. En 1981, il reçut le prix France-Québec pour *Thérèse et Pierrette à l'école des Saints-Anges*. En 1984, il a été nommé Chevalier de l'Ordre des Arts et des Lettres de France. En 1986, il a reçu le prix Chalmers pour *Altertine, en cinq temps*.

CRÉATION ET DISTRIBUTION

Trois petits tours a été créé le 21 décembre 1969, à la chaîne française de Radio-Canada, dans le cadre de l'émission *Les beaux dimanches*.

Réalisation: Paul Blouin
Script: Suzanne Randall
Décors: Gabriel Contant
Costumes: Yvon Duhaime

Distribution:

BERTHE

Berthe: Denise Proulx

JOHNNY MANGANO AND HIS ASTONISHING DOGS

Carlotta: Denise Filiatrault
Johnny Mangano: Jacques Godin
Le maître de cérémonie: Jacques Bilodeau
Le régisseur: Dominique Briand

GLORIA STAR

Margot: Sophie Clément
Laurette: Luce Guilbault
Diane: Claudette Delorimier
Gigi: Yolande Michot
Lise: Marie-Claire Nolin

La femme
   (agent de Gloria Star): Denise Pelletier
Le régisseur: Dominique Briand
Paul: Ernest Guimond
Le maître de cérémonie: Jacques Bilodeau

BERTHE

Dans la cage de verre du chic cabaret «Coconut Inn», Berthe, la vendeuse de billets d'admission, trône. Elle a largement dépassé la quarantaine. (On pourrait dire «de beaux restes des années '40».) Elle porte des lunettes très «fancies» —en plastique bleu en forme d'yeux de chat, saupoudrées de «poussières de diamants». Elle lit un magazine de cinéma en buvant un «cream soda» (avec deux pailles).

C'est le soir, pendant le show de onze heures et demie. On peut entendre le doorman crier «Showtime! Showtime!» quatre ou cinq fois.

BERTHE

Pas grand monde à soir... *(Elle boit.)* C'est vrai que le mercredi soir... Pis surtout avec les vedettes qu'on a c'te semaine! Même pas cent personnes... *(Elle ferme brusquement sa revue.)* C'est long! C'est long! Pis y'a pus personne qui va arriver avant le prochain show...

LE DOORMAN

Showtime! Showtime!

BERTHE

Ah! arrête de crier de même, y'est commencé, là, le show! Y'est-tu fatiquant! Chus tannée de l'entendre crier ça à cœur de jour! «Showtime!», «Showtime!». Y passe sa vie à crier «Showtime!», «Showtime!». C'est pas une vie, ça! *(Plus fort pour que le doorman l'entende.)* J'te dis qu'y faut pas savoir faire grand chose dans'vie... *(Elle s'arrête pile et revient, rageuse, à son «cream soda».)* Maudit niaiseux qui est même pas capable de placer deux mots un en arrière de l'autre! Celui qui travaillait avant lui, au moins, y v'nait jaser, des fois! Lui, le gros épais... «Showtime!», «Showtime!». Y' arrête pas! Le vrai zélé! J'vas v'nir folle, moi! J'ai pas assez d'être enfermée icitte... *(Elle feuillette sa revue.)* T'es pas enfermée, Berthe, t'es pas enfermée... t'as jamais été enfermée! C'est juste en attendant... Pendant ce temps-là, à Hollywood, ça se marie, ça divorce, ça fait la grande vie... Ça se fait payer un million par vue... Aie! Quand on y pense! Un million de piastres pour une vue! Pis ça se lamente qu'y leur z'en reste rien que quequ'cent mille après l'impôt... *(Elle s'arrête à une page.)* La grande vie... Sont quand même chanceux, ces artistes-là! Pis j'gage qu'y le savent même pas! Aie, chose, leur vois-tu l'accoutrement! La vraie grande vie... Pis moi...

LE DOORMAN

Showtime! Showtime!

BERTHE

Jusqu'à quand, mon Dieu, jusqu'à quand? *(Un temps.)* Si au moins j'avais le droit d'aller les voir, les maudits shows! *(Elle revient à sa revue.)* Des fois, j'me d'mande... J'les r'garde, là, pis j'me d'mande c'qu'y peuvent bien avoir de plus que moi... *(Elle ferme les yeux.)* «Vous devriez prendre Berthe, ma sœur, c't'une bonne actrice vrai!»

LE DOORMAN

Showtime! Showtime!

BERTHE

Aujourd'hui, la cage de verre. Hier. Demain. Jusqu'à quand, mon Dieu, jusqu'à quand? *(Elle boit.)* «T'as pas de raisons de te plaindre, Berthe! Y'a des tas de monde qui travaillent plus que toi pour moins cher! Chanceuse, toi! Privilégiée, toi! Rien qu'à t'asseoir dans ta cage pis vendre des billets au monde qui viennent! C'est pas forçant! Y'a quasiment rien à faire... Tu lis... *(Elle regarde sa revue, écœurée.)* Bonyeu, j'm'ennuie!

LE DOORMAN

Showtime! Showtime!

BERTHE

De temps en temps, le doorman vient jaser avec toi... Ça passe le temps... *(Elle sourit amèrement.)* «Showtime», «showtime...». «Pis t'es toujours assis...» *(Elle ferme les yeux.)* Lève-toi, Berthe! Berthe, lève-toi, envoye, grouille! *(Elle rouvre les yeux.)* Mais que c'est que je fais icitte à m'ennuyer!

LE DOORMAN

Showtime! Showtime!

BERTHE

Que c'est que je fais icitte à m'ennuyer toute ma vie? Je pourrais... *(Un temps.)* J'ai faite mes études primaires... Neuvième année... Chus pas pire qu'une autre... Je pourrais... Je pourrais... *(Elle boit.)* «Je vous l'avais bien dit, ma sœur, que c'était une bonne actrice, Berthe! Une bonne actrice, une bonne actrice... Bonne actrice...» «Oui et je me félicite de l'avoir choisie pour cette saynète... C'est sûrement la meilleure et la plus belle Sainte Thérèse de l'Enfant-Jésus que nous ayons jamais eue... La meilleure et la plus belle... Elle ira loin, cette petite, si elle le veut!» Les artistes, c'est juste une gang de chanceux! Y suffit que la chance te tombe sur la tête une fois, pis t'es lancée... Vedette! Pis tout le pataclan! Pis tu fais des millions, pendant qu'y en a qui... *(Elle regarde autour d'elle.)* C'est pas toutes des beautés, les artistes! Moi aussi, avec une bonne tonne de maquillage dans le visage... *(Dépitée, elle se rabat sur son «cream soda».)* «Elle ira loin, cette petite, si elle le veut...». «Ben oui, c't'un bon garçon, Berthe, t'as raison... C't'un ben bon garçon... Mais attends donc un petit peu... Tu vaux mieux que ça... Attends quequ'z'années, Berthe, avant de te décider... T'es trop jeune! Y faut y penser à deux fois avant de s'installer pour de bon...» Non, c'est pas comme ça que ça s'est passé! Y faut pas que ce soit comme ça que ça s'est passé! Quand chus sortie de l'école... *(Avec une voix affectée:)* Quand je suis sortie de l'école, j'ai rencontré un garçon qui allait au... au Conservatoire d'art dramatique! Oui, oui, c'est ça, au Conservatoire d'art dramatique! Un grand acteur! Il m'a présentée à ses amis... Un groupe formidable... Toutes des grands artistes... Je suis tout de suite devenue... ah! comment on dit ça, donc... Ah! oui, je suis tout de suite devenue la coqueluche du groupe! Tous les hommes me couraient après! J'ai eu des tas d'aventures! Des tas d'aventures... des tas d'aventures... Et puis, un jour, le directeur d'une troupe de théâtre m'a remarquée... J'étais... Oui, oui, c'est ça, c'était pendant un gros party chez une actrice bien connue dans ce temps-là... Voyons... c'était quoi, son nom... À qui j'pense, quand chus rendue là, depuis quequ'-temps, donc... est ben connue... Entéka... j'étais... debout devant une fenêtre... Oui, oui, c'est toujours plus beau! J'étais debout devant une fenêtre... j'avais une robe verte... Longue? Oh! oui, longue! Une robe longue verte! Je... buvais du champagne! Aussitôt qu'il m'a t'aperçue, il s'est élancé vers moi et m'a demandé de faire le premier rôle dans sa nouvelle pièce... Naturellement, j'ai dit oui... Un succès... comment on dit ça, déjà? Ah! oui, un succès phénoménal! «T'es trop belle, Berthe, t'es ben trop belle pour t'enfermer tu-suite dans une maison pour élever des enfants! Tu vaux mieux que ça! Attends encore un peu... Réfléchis comme faut avant de t'embarquer pour la vie!» J'étais tellement belle! J'ai été élue miss radio tu-suite la première année! Et depuis ce temps-là... depuis ce temps-là, y'a pas de rôles que j'ai pas joués... «L'Aigle à deux têtes»... «La duchesse de Langeais» de Balzac, «La Dame aux Camélias»!... *(Émue.)* Oh! oui, «La Dame aux Camélias»! Ça, «La Dame aux Camélias», je l'ai jouée dans le monde entier! C'est ça qui m'a rendue célèbre! *(Un temps.)* Je suis célèbre... partout dans le monde... Je suis célèbre... Je suis... *(tout bas)* la plus grande! *(Très fort.)* C'est vrai! *(Long silence. Elle regarde lentement autour d'elle.)* «Un jour, tu sauras me remercier, Berthe! Quand tu seras entourée de milliers d'admirateurs... que tu s'ras devenue célèbre... Oui, oui, oui, tu peux devenir une grande actrice célèbre si tu travailles, t'es t'assez belle, pis assez bonne pour ça... Y faudrait juste que tu prennes des cours... Pis avec un peu de chance... Tu t'en rappelles, à l'école, les sœurs le disaient toujours! C'est toujours toi qu'on prenait pour jouer dans les séances!» «La grande vie que j'ai menée! Mais si je suis rendue là, c'est parce que j'ai travaillé! J'ai travaillé fort! Il faut travailler fort pour devenir une grande actrice! Lève-toi, Berthe! Berthe, lève-toi, envoye, grouille! Fais quequ'chose! C'est le temps, là! Le temps passe, Berthe, y faut que tu te décides...»

LE DOORMAN

Showtime! Showtime!

Prise de panique, Berthe se retourne brusquement et regarde derrière elle, dans la direction de la porte de sa cage.

BERTHE

La porte est-tu là? *(Elle reprend lentement sa position initiale.)* C'est-tu bête se faire des peurs de même... *(Elle boit.)* «Y s'rait temps que tu te décides à faire quequ'chose, là, Berthe, le temps passe! T'as un bon salaire, où tu travailles, mais tu vaux mieux que ça! Y a pas deux portes de sortie quand on arrive à ton âge...» Non, non, c'est pas ça qui est arrivé! Chus la plus grande actrice du monde, pis j'demande un million par vue! Chus pas enfermée dans ma cage!

LE DOORMAN

Showtime! Showtime!

BERTHE

Chus pas enfermée dans ma cage! *(Elle regarde autour d'elle.)* Jusqu'à quand, mon Dieu, jusqu'à quand? Si j'rêve pas, j'vas étouffer. *(Long silence, puis, froidement:)* La caissière était tombée malade, icitte, pis y'avait personne pour la remplacer, ça fait que chus rentrée tu-suite le lendemain matin... Ça fait... combien d'années déjà! Non, j'aime mieux pas y penser! «Vous

18

êtes chanceuse, une bonne job pas fatiguante!» *(Un temps.)* Toute une vie passée à vendre des tickets dans une boîte de vitre! *(Très fort:)* Mon Dieu! *(Un temps.)* Je le sais qu'y est trop tard. Je le sais qu'y a pus rien à faire... Tout le monde me le répète depuis des années. Mais y'ont beau dire, chus pas si folle! «T'es rien qu'une maudite rêveuse, qu'y me disent, t'es rien que bonne à inventer des histoires qui ont pas d'allure! On sait jamais si tu dis vrai ou ben donc si tu rêves tout haut! Tu vas finir par perdre tous tes amis, si tu continues comme ça, Berthe! Tu vas te r'trouver toufin seule, un bon jour!» Berthe, fais quequ'chose, c'est le temps, là! *(Long silence.)* Mais j'ai jamais rien faite! *(Long silence.)* Astheur, j'demande pas grand chose... J'veux rien qu'on me laisse mes illusions! Qu'on me sacre la paix, pis qu'on me laisse rêver! C'est tout ce qui me reste! Parce que chus capable de rêver! Ah! oui, ça, chus capable de rêver! C'est pas parce que chus t'ignorante que chus pas capable de m'inventer des histoires à pus finir! J'ai peut-être pas l'air de ça, mais chus capable de m'inventer une vraie vie de vraie Star d'Hollywood! Chus pas instruite, mais chus capable de me faire accroire que j'le suis! J'ai l'air épaisse, de même, mais j'aurais pu faire quequ'chose dans'vie si j'm'étais grouillée! *(Un temps.)* Mais j'ai jamais rien faite! Pis chus toujours restée enfermée dans ma cage! *(Un temps.)* Si je rêve qu'un jour j'vas me sortir de ma cage pis même si je rêve que chus jamais rentrée dans ma cage, qu'on me laisse faire! J'dérange personne! J'fais mon ouvrage pareil! Si je rêve pas, j'vas étouffer! C'est tout ce qui me reste! *(Long silence.)* C'est ben sûr que j'sortirai jamais d'icitte... J'le sais que j'sortirai jamais d'icitte... Y'a jamais personne qui me sortira d'icitte... Chus trop vieille. Ma vie achève. Berthe, ta vie achève! T'as passé toute ta vie à attendre, pis y'a jamais rien qui est venu! C'est l'hiver, Berthe! «Vous devriez prendre Berthe, ma sœur, c'est une bonne actrice vrai! Pis à part de ça, ça y fait rien de venir pratiquer avec vous plutôt que venir patiner avec nous autres... C'est une vraie artiste...» C'est l'hiver... Non, y faut pas que j'y pense! Y faut pas que j'y pense, sans ça, j'vas v'nir folle. *(Un temps.)* C'est tellement long! C'est tellement long. Pis c'est tellement plate!

JOHNNY MANGANO AND HIS ASTONISHING DOGS

Une loge assez spacieuse mais très sale du «Coconut Inn». À droite, la porte de la loge. Elle s'ouvre de l'intérieur et lorsque quelqu'un la pousse on aperçoit, accrochée, une étoile d'or sur laquelle est inscrit le mot STAR en paillettes. Sous l'étoile, une petite pancarte: «Johnny Mangano.»

À gauche, la table de maquillage avec ampoules électriques où s'empilent bâtons de rouge à lèvres, photos de «vedettes», boîtes de Kleenex, bric à brac de maquillage, etc. Un vieux paravent déchiré masque un coin de la loge.

Au centre, sur le mur, une immense affiche sur laquelle on peut voir Johnny Mangano en personne avec sept ou huit chiens de toutes races, et un singe. Tous sourient. Comme inscription: «Johnny Mangano and his Astonishing Dogs» en grosses lettres rouges.

On entend un grand rire stupide du public provenant de la salle de spectacle, puis des applaudissements et des sifflements. Tout ça sur les dernières mesures d'un air sud-américain.

VOIX DU M.C.

Here they are, ladies and gentlemen! Aren't they gorgeous? Et voilà, mesdames et messieurs, ne sont-ils pas gorgeux? Come on! Come on, ladies and gentlemen, une bonne main d'applaudissements! A good hand for our stars! Johnny Mangano and his Astonishing Dogs! Johnny Mangano et ses étonnants chiens! Thank you, Johnny you are the most! Vous l'avez l'affaire, continuez! N'est-ce pas, mesdames et messieurs, qu'ils l'ont l'affaire. *(Applaudissements.)* Oui... C'est ça...

Carlotta entre brusquement dans la loge et claque la porte derrière elle. Elle marche droit à la table de maquillage, prend une cigarette dans un paquet mou et l'allume nerveusement. Les applaudissements ont cessé.

Carlotta est vêtue comme toutes les «filles à numéro de chiens savants»: Elle porte le traditionnel costume de paillettes à cul de plumes — un beau costume en lamé avec de belles plumes d'autruches — et un diadème de «pierres du Rhin». Elle est entre deux âges (c'est-à-dire qu'elle a très précisément quarante ans). Blonde platine. Ultra maquillée (dans le sens showbiz du mot).

Elle s'appuie sur la table de maquillage et se passe une main sur le front.

CARLOTTA

M'as le tuer! Ça sert à rien, une bonne fois, j'vas emprêter un couteau en quequ'part pis j'vas le trouer!

Un chien jappe à l'extérieur de la loge.

VOIX DE JOHNNY

Ben non, ben non, Kiki, tu viens pas dans' loge, à soir... Rentre dans ta cage comme une grande fille, là... Maîtresse est fatiquée... *(Kiki jappe.)* J't'ai dit de rester tranquille, Kiki! Couché, là! Couche-toi, ma p'tite punaise, sans ça m'en vas te mettre ma main su'a'yeule!

CARLOTTA
(haussant les épaules)

«M'en vas te mettre ma main su'a'yeule»! À un chien!

Entre Johnny. Même âge que Carlotta. Il semble très en forme. Lui aussi porte le traditionnel cos-tume du dresseur de chiens savants: le tuxedo. Il laisse la porte ouverte derrière lui.

JOHNNY

J'vas laisser la porte ouverte, comme ça, Kiki jappera pas...

CARLOTTA
(ironique)

Ben oui, pauv'p'tite Kiki! Est faible des poumons, d'abord! Ça pourrait la rendre malade, de japper!

Johnny s'approche de Carlotta et l'embrasse dans le dos.

JOHNNY

Comment ça va, ma p'tite punaise? T'avais l'air nerveuse, à soir...

CARLOTTA

Garde tes «p'tites punaises» pour Kiki pis touche-moi pas!

JOHNNY

Ah! Excuse-moi! Excuse-moi! J'voulais pas t'insulter! Quand tu voudras que j't'approche à plus que trois pieds, tu me le diras! Madame fait sa distante, à soir?

CARLOTTA

Non, madame fait pas sa distante. Madame est tannée. Est juste tannée, madame! Comment tu veux que je sois pas nerveuse sur le stage avec des éclairages pareils! Un vrai feu d'artifice, tes nouveaux éclairages! On sait jamais ce qui nous attend!

JOHNNY

Tu vas t'habituer, tu vas voir... Pis tu devrais les savoir, là, ça fait trois fois qu'on les fait...

CARLOTTA

Oui, mais les chiens, eux autres, sont plus difficiles à comprendre! Tu vas finir par les rendre complètement fous! T'as vu comme j'avais d'la misère à les t'nir, à soir? Sont pas habitués aux lumières qui s'allument pis qui s'éteignent sans arrêter comme ça! Allume le rouge, éteint le bleu, rallume le jaune, envoye donc dans le rose! On voit même pus oùsqu'on va!

JOHNNY

Voyons donc...

CARLOTTA

On était ben mieux dans l'éclairage «plain», Johnny! C'est pas un numéro de striptease qu'on fait!

On est des éleveurs de chiens! Pis moi, en plus, j'ai hérité des spots verts! Veux-tu ben me dire dans le monde de quoi j'dois avoir l'air en vert!

JOHNNY

T'exagères encore! C'est ben beau d'la salle! Les waiters me l'ont dit! T'as entendu comme ça applaudissait, à soir?

CARLOTTA

Oui, mais c'est peut-être les éclairagistes que le monde applaudissait, aussi! Aie, pis là, là, chus ben tannée! Y'ont encore manqué ma sortie! Ça fait trois fois! Tu vois ben que même les éclairagistes sont perdus dans tes câlines de couleurs! Chus sortie dans le noir complet! Après toutes sortes de belles couleurs pour les chiens, le rose pour Kiki-la-vedette, le jaune pour Shirley-la-p'tite-cute, Carlotta, elle, a sort dans le noir complet pis a manque de s'assommer sur la grosse porte de fer qu'y'a dans'coulisse! D'la vraie folie pure!

JOHNNY
(riant)

C'est pour ça que t'es pas v'nue saluer? T'es jalouse, hein? Si t'étais danseuse, pis en vedette, tu t'en plaindrais pas, des éclairages de couleur! Tu les voudrais toutes pour toi, les éclairages, hein?

CARLOTTA

Si j'étais danseuse, pis en vedette, ça s'rait pas pareil! C'est moi qui les ferais, les éclairages! Pis y'aurait pas de vert pomme! J'te dis que si la nouvelle vedette qui commence à soir, là... c'est quoi son nom, déjà?

JOHNNY

Gloria Star.

27

CARLOTTA

J'te dis que si Gloria Star m'a vue faire mes p'tites steppettes dans ton bol de Jell'o de toutes les couleurs, a l'a dû avoir un fun vert!

Carlotta, machinalement, commence à se ronger les ongles.

JOHNNY

Ronge-toi donc pas les ongles de même, tu sais que ça m'énerve! Chus toujours obligé de te le dire! Ça peut paraître dans's'alle que t'as les ongles rongés! Une femme qui a les ongles cassés, c'est pas ben ben beau, sur un stage... Pis à part de ça, c'est mal élevé!

CARLOTTA

Aie, écoute donc, toi! Mêle-toi donc de tes affaires! Quand j'en aurai pus, d'ongles, j'm'en achèterai des neufs! À part de ça, c'est pas mes ongles que le monde regarde!

JOHNNY

Ça c'est vrai, par exemple! As-tu vu, à soir, la deuxième table, à gauche? J'te dis que les gars te z'yeutaient quequ'chose de rare!

CARLOTTA

C'est pourtant pas moi le Star dans c'te numéro-là! Loin de là!

JOHNNY

Ça fait rien! Une belle fille, c'est toujours commode! Je l'ai toujours dit: «Portez une belle fille à votre boutonnière et vous passerez partout!» J'ai déjà lu ça quequ'part...

CARLOTTA

Pis j'me d'mande si y'ont eu le temps de me voir dans mes couleurs naturelles, tes gars... Oui, peut-être, c'est vrai, quand j'faisais une erreur pis que j'rentrais dans le spot rose de Kiki!

JOHNNY

Un numéro de Music-Hall sans belle fille c'est comme «Playboy» pas de portraits: c'est pas complet! Si le monde aime pas le numéro, au moins, y'a la belle fille pour attirer l'attention...

CARLOTTA

C'est ça, dis-moi que chus juste un accessoire!

JOHNNY

J'vois tout, tu sais! Quand j'entre su'l'stage, là, avec Shirley, je r'garde le monde pis j'les juge...

CARLOTTA

Dis-moi donc...

JOHNNY

Pis quand Kiki fait sa grande entrée avec toi, j'te dis que les yeux s'agrandissent! Pis c'est pas toujours à cause de Kiki!

CARLOTTA

Ben, merci...

JOHNNY

Faut dire qu'avec les jambes que t'as...

CARLOTTA

Avec les jambes que j'ai, mon p'tit garçon, si j't'avais pas suivi toute ma vie, j's'rais rendue ben plus loin que chus là, okay? C'est moi qui s'rais en vedette, à soir! Yes sir!

JOHNNY

Y faut dire aussi que quand y'ont fini de te r'garder les jambes pis que te r'gardent le reste, le visage leur tombe vite!

CARLOTTA

C'est ça, moque-toi de moi! Continue à te moquer de moi! C'est tout c'que t'es capable de faire, te moquer de moi! J'suppose que tu vas me dire que t'as ajouté ces éclairages-là à notre numéro juste pour que le monde me voye moins!

JOHNNY
(en riant)

Voyons donc, j'te disais ça rien que pour t'agacer, pompe-toi pas de même! Si tu l'haïs tant que ça, ton spot vert, j'vas te le changer... J'vas t'en donner un beau bleu!

CARLOTTA

Tu te penses fin, hein? J'pensais justement d'em-prêter un couteau pour te tuer, avant que t'arrives... J'vas finir par le faire...

JOHNNY

Que c'est ça! T'es ben pointue à soir! Pis t'es ben énarvée? T'as l'air d'une balle de ping-pong! T'es-tu dans tes mauvais jours?

CARLOTTA

J'te dis que t'es pus au courant de mes mauvais jours depuis longtemps, ça paraît!

JOHNNY

Ben là, t'exagères, par exemple! Tu peux pas dire que j'te néglige depuis quequ'temps! Fidèle comme un chien!

CARLOTTA

Encore les chiens! On s'en sortira jamais! T'es peut-être fidèle comme un chien, Johnny, mais tu me laisses tu-seule comme une dinde des grandes journées de temps pour aller garrocher un peu partout le peu d'argent qui nous reste!

JOHNNY

Que c'est que tu veux dire par là?

CARLOTTA

Voyons donc, Johnny, me prends-tu pour une folle? Quand tu disparais toute une journée, comme aujourd'hui, penses-tu que j'le sais pas oùsque tu vas? Chus pas v'nue au monde hier, Johnny! On dirait que tu me prends pour un enfant! Chus peut-être un accessoire dans le numéro, mais je pense plus que les chiens! Ça fait longtemps que j't'en parle pus, ça fait longtemps que j'te fais pus de scène à cause de ces affaires-là mais y faut pas que tu penses que j'te vois pas faire!

JOHNNY

Que c'est que ça peut ben faire que je parte de temps en temps, un après-midi... J'ai toujours été de même, tu le sais ben... D'abord que je r'viens le soir...

CARLOTTA

Oui, juste pour le show... Écoute, Johnny, l'argent disparaît, pis a r'vient pas! Là, ça commence à être grave! Tu perds encore, aux cartes? Y s'rait à peu près temps que t'aprennes à gagner... Y' m'semble... Depuis le temps! Pis à part de ça, j'en r'viens, moi, de passer mes journées en compagnie des chiens! Moi aussi j'aimerais ça voir du monde, des fois! Ça fait deux jours qu'on est revenus à Montréal, hein? Toi t'es as toutes revus, tes chums, t'as même perdu aux cartes avec eux autres comme dans le bon vieux temps pis toute... Moi, qui c'est que j'ai rencontré depuis qu'on est icitte? La vendeuse de tickets, à la porte du «Coconut Inn», qui était déjà là quand on est partis y'a douze ans! J'ai même pas osé appeler ma mère parce que j'savais qu'à me demanderait d'aller la voir pis que j'pourrais pas à cause des chiens qu'y faut pas laisser tu-seuls!

JOHNNY

Voyons donc, tu fais des drames avec rien, Carlotta...

CARLOTTA

Appelle-moi pas Carlotta en plus! Ça fait cent fois que j'te demande de pas m'appeler Carlotta quand on est tu-seuls! J'm'appelle Charlotte, Johnny! Charlotte Toupin! C'est ben laid, mais que c'est que tu veux, c'est mon nom! Mon vrai! Pis j'y tiens! C'est pas de ma faute, chus v'nue au monde avec!

JOHNNY

Ben, c'est justement! C'est pas une raison pour mourir avec! Surtout dans le showbiz! Moi, «Carlotta», j'trouve ça beau...

CARLOTTA

Ben moi, «Carlotta», j'trouve que ça l'air cheap! Chus pas une Italienne! Chus v'nue au monde à Montréal! Mon père s'appelait Octave Toupin, pis y'était plombier!

JOHNNY

Ben oui, mais comprends donc... Quand tu deviens un artiste...

CARLOTTA

Ah! ben c't'une puissante, celle-là! Nous autres, des artistes? Mon père, dans sa plomberie, y était plus artiste que nous autres! Voyons donc! Écoute, Johnny Mangano, le grand dresseur de chiens savants, le showbiz, je l'ai dans la peau, pis je l'ai dans les jambes, aussi, j'm'en sus rendue compte aussitôt que j'ai été embarquée sur un stage... Si j'avais pas été avec toi, j'aurais pu devenir une grande star, en travaillant! Une grande danseuse!

JOHNNY

Une grande danseuse, toi? Avec c'que tu sais faire?

CARLOTTA

Oui, oui, ah! tu peux rire, ça me fait rien! J't'en ai déjà parlé que j'voulais prendre des cours de danse... Mais non... Toi... Les chiens, rien que les chiens... Pas besoin de ça, des cours... C'est les chiens qui comptent! Aie, on en a vu du showbiz depuis douze ans qu'on est partis de Montréal, mon chien, pis des grandes vedettes de Music-Hall, on a eu le temps de se rendre compte que c'étaient des artistes, des vrais, ça, chus ben d'accord... Des bons numéros de chiens savants, y'en a! Pis des tas, ça, c'est ben sûr! Mais laisse-moi te dire que c'qu'on fait, nous autres, là...

JOHNNY

Voyons donc, Charlotte, on est en vedette américaine dans un des plus grands cabarets de Montréal!

On vaut n'importe quels autres artistes! Que c'est qu'y te faut de plus?

CARLOTTA

Ah! ben là, par exemple, c'est le top! Là, c'est la cerise su'l'sundae! Y m'demande c'qu'y me faut de plus! Mais j'en demande moins, Johnny!

Elle se dirige vers la porte et la ferme brusquement.

CARLOTTA

T'as oublié c'que j't'ai dit hier? C'est une scène que tu veux? Ben tu vas en avoir une!

JOHNNY

Ah! ben, non! Tu r'commenceras pas encore avec toutes ces histoires-là! Listen to me, Carlotta...

CARLOTTA

Pis parle-moi en français! Tu le sais que j'comprends rien en anglais pis que j'veux rien comprendre!

JOHNNY
(la prenant par le poignet)

Aie! J'vas te parler dans la langue que je veux pis tu vas toute comprendre, okay? Tu commences à me tomber sur les nerfs! Tu vas toute comprendre c'que j'te dis, même si je parle en chinois! Qui c'est qui mène, icitte?

CARLOTTA
(se dégageant)

Les chiens!

JOHNNY

Quoi? Que c'est que tu veux dire, par là?

CARLOTTA

Ah! rien, rien, j'parle tu-seule...

Kiki jappe.

JOHNNY

J't'ai dit qu'y faut laisser la porte ouverte! Kiki jappe encore, là... *(il ouvre la porte.)* Ta yeule, Kiki! *(Carlotta sourit.)* Si tu la laissais rentrer dans'loge comme avant, aussi! Est malheureuse c'te chienne-là, pis c'est de ta faute! A dérange pas, quand a vient...

CARLOTTA

Est tanante comme sept!

JOHNNY

Voyons donc, a fait juste se promener...

CARLOTTA

Ta yeule, Johnny!

Johnny la regarde, étonné.

CARLOTTA

Tiens, ça marche avec toi, aussi? J'vas essayer ça plus souvent! Écoute, Johnny, écoute ben, là, j'vas te parler ben tranquillement... Pour la centième fois j'vas te répéter c'que j'te dis à tous les soirs depuis trois mois... J'veux pus voir Kiki dans'loge, Johnny, j'peux pus l'endurer! Es-tu capable de comprendre ça une fois pour toutes? J'peux pus la voir!

JOHNNY

Mais pourquoi? Que c'est qu'à t'as faite? C'est toi qui l'as élevée, Charlotte...

CARLOTTA

Je l'haïs, c'te chienne-là, Johnny, pis si a rentre encore une fois dans'loge, j'la tue!

JOHNNY

Mais pourquoi?

CARLOTTA

Ça fait douze ans que j'la connais, c'te chienne-là, Johnny! Ça fait douze ans que je l'ai dans les jambes!

JOHNNY

Comment ça, ça fait douze ans que tu l'as dans les jambes!

CARLOTTA

Ça fait douze ans qu'on se connaît, Johnny!

JOHNNY

Aie, que c'est que ça veux dire, ça? T'as quand même pas envie de me comparer à Kiki?

CARLOTTA

Ça fait douze ans que tu me compares même pas à Kiki, Johnny! Non, c'est correct, dis rien, j'sais que tu comprendras pas... Tu comprendras jamais... J'voulais pas te comparer à Kiki, Johnny, j'voulais juste essayer de te faire voir quequ'chose qui crève les yeux... Mais ça sert à rien...

JOHNNY

C'est aussi ben de me dire en pleine face que chus t'un arriéré mental!

CARLOTTA
(tout bas)

Ben non, ben non, t'es pas un arriéré mental. T'as juste un peu dur de comprenure... Juste un peu épais sur les bords...

JOHNNY

Quoi? J'ai pas entendu...

CARLOTTA

Rien, rien... J'parle tu-seule...

JOHNNY
(voulant visiblement changer de sujet)

J'te dis qu'on a eu du succès à soir! As-tu entendu ça? Ça applaudissait! Ça sifflait! Aie, on est en vedette américaine, Charlotte, c'est quequ'chose!

CARLOTTA

Ma grand-foi du bon Dieu, y va me rendre folle! On est en vedette américaine, Johnny, parce que la vraie vedette américaine a eu un accident!

JOHNNY

Tu prends toujours les affaires par leurs mauvais côtés, Charlotte!

CARLOTTA

Ben, chus réaliste, Johnny, c'est toute! J'nage pas dans les éclairages bleus, jaunes pis roses, moi! Chus dans le vert! On est en deuxième vedette parce que la vraie deuxième vedette a s'est foulée une cheville!

C'est toute! Un acrobate sans cheville, ça peut rien faire, ça fait qu'on le remplace par le numéro de chiens savants qui passait en troisième...

JOHNNY

Mais ça peut nous donner du maudit bon pushing, c't'affaire-là! Surtout que le monde ont l'air d'aimer ça! Aie, j'te dis que des chiens comme Kiki, y'en n'a pas gros, tu sais! La p'tite bougraise... Est pas battable... A comprend toute... Tiens, comme ça, tu-suite... C'est peut être la plus vieille chienne de showbiz... Pis la plus savante!

CARLOTTA

C'est pas ben ben mêlant, quand tu parles de Kiki, t'as l'air d'un jeune marié...

JOHNNY

Hon! Ça me fait penser.

Il sort de la loge en courant. Carlotta s'assoit à la table de maquillage. Elle appuie son front sur la table.

CARLOTTA

Y va me rapporter la robe de mariée que Kiki a déchirée pendant le show...

Johnny revient, tenant un costume de chien à la main.

JOHNNY

Tiens... J'sais pas si t'avais remarqué mais Kiki a déchiré sa robe de mariée pendant le show, à soir... Faudrait que tu la recoudes, Charlotte... Le deuxième show va commencer ben vite... Ça me fait penser qu'y faudrait peut-être y'en acheter une neuve, aussi... Celle-là, a commence à être pas mal maganée...

Carlotta relève la tête.

CARLOTTA

Pis moi? Quand est-ce que j'vas l'avoir mon costume neuf? Celui-là tombe en lambeaux.

JOHNNY

Charlotte! Tes costumes coûtent une fortune!

CARLOTTA

J'te ferai remarquer que la robe de Kiki est en vrai dentelle pis que mon costume est rien qu'en lamé cheap!

Johnny ne répond pas. Il dépose la robe de mariée sur la table et se dirige vers un fauteuil qui trône au milieu de la pièce. Il prend un journal.

JOHNNY

J'vas regarder si y'a une critique... On a rien que commencé hier, mais on sait jamais...

Carlotta donne un grand coup de poing sur la table.

CARLOTTA

Y'ont jamais parlé de nous autres, dans les journaux, Johnny!

JOHNNY

Ben, ça fait longtemps qu'on n'est pas venus à Montréal, Charlotte, peut-être qu'y parlent des numéros de cabarets, icitte...

Il se plonge dans son journal.

JOHNNY
(fouillant dans le journal)

Aie, Charlotte, y'a pas de pages d'entertainment, dans le journal...

CARLOTTA

Regarde dans «Arts et Lettres», Johnny, si y parlent de nous autres, ça va être dans «Arts et Lettres»! *(Elle prend la robe de Kiki et la regarde longtemps.)* P'tit Jésus de plâtre! Aie, quand on pense que j'me sus expatriée, y'a douze ans, pour en arriver là! C'est drôle rare! J'dis que c'est drôle rare, Johnny, m'entends-tu?

Johnny ne répond pas. Charlotte se lève, se dirige vers lui et lui arrache le journal des mains.

CARLOTTA

Aie, j't'après te dire que j'ai gâché ma vie pour raccommoder des robes de mariée de chiens, Johnny, y faut que t'entendes ça, c'est trop drôle! Force-toi un peu, Johnny, force-toi un peu pour comprendre! Tu vois pas comme c'est drôle? Ben ris, fais quequ'chose! Tords-toi sur ta chaise, roule-toi à terre! Ça fait douze ans que j'te suis comme un chien, Johnny, ça fait douze ans que je fais la «girlie» sur le stage en arrière de tes chiens, que je montre mes cuisses au monde pour qu'y applaudissent plus fort, tu trouves pas ça tordant? À chaque fois qu'un de tes maudits chiens fait une de ses maudites samarcettes, j'salue pour lui pis j'envoye des becs au monde, c'est pas pissant, ça? Quand les chiens font la belle avec leurs costumes de mariés pis de parents des mariés, pis que le singe sort de sa boîte habillé en Uncle Sam en faisant revoler son drapeau américain, nous autres, les humains, on salue, en arrière! Moi dans mon maudit costume en lamé que je traîne depuis quatre ans, pis toi dans ton coat à queue! T'es t'habillé comme le singe, Johnny, as-tu déjà remarqué ça? Ça fait douze ans qu'on élève des chiens, Johnny, on a passé j'sais pus combien de chiens depuis douze ans, Johnny; les chiens, c'est toute notre vie pis ça te donne pas envie de mourir de rire? On s'habille pas parce qu'y faut que les chiens aient des beaux costumes; on sort pas parce qu'on peut pas laisser les chiens tu-seuls; on peut pas être deux minutes tu-seuls ensemble parce que Kiki jappe! Notre vie est pleine de Kiki, Johnny, y'a rien que ça, des Kiki, dans notre vie! J'ai connu rien que ça, depuis douze ans, les chiens!

JOHNNY
(hurlant)

Pour que c'est faire que tu m'as suivi, d'abord! C'était de rester chez vous, y'a douze ans!

Long silence. Carlotta regarde Johnny, hébétée. Elle le regarde très longtemps dans les yeux. Elle revient ensuite s'asseoir à la table de maquillage.

JOHNNY

Ben c'est vrai, c'était de rester à Montréal! J't'ai pas obligée de me suivre, Charlotte! Quand j'ai voulu commencer à dresser des chiens, j'savais qu'y'avait pas d'avenir au Canada, ça fait que j'ai décidé de m'en aller aux États...

CARLOTTA

Entendez-vous ça! Dans'brume jusqu'au cou!

JOHNNY

T'étais pas obligée de v'nir avec moi! J'te l'ai-tu demandé, de v'nir, hein, Charlotte Toupin, j'te l'ai-tu demandé? Non! Pantoute! J'voulais partir tu-seul! Tu t'es pendue après moi pis t'as braillé pendant des jours pour que j'te traîne! Des filles comme toi j'en aurais trouvé à tonne, aux États, pis des ben plus belles, à part de ça! Si t'es v'nue avec moi, c'est parce que tu voulais v'nir! Ça fait que arrête de te lamenter pour rien! Sans moi pis Kiki, t'es pus rien, Charlotte!

CARLOTTA

Ah! ben là, par exemple...

JOHNNY

Que c'est que tu ferais, si j'te laisserais partir, hein? Que c'est que tu ferais, à Montréal? Tu pourrais même pas devenir marcheuse, t'es trop vieille! Ah! t'as encore des belles jambes mais tu serais jamais capable de faire un numéro à toi tu-seule, tu serais ben que trop essoufflée! T'aboutirais peut-être dans un pet shop parce que tu connais les animaux, c'est toute! T'aimerais ça finir tes jours à vendre des chiens, pis des chats, pis des serins, pis des oiseaux? T'aimerais ça? Ben va-t'en. Essaye un peu de retourner chez vous, tes parents vont être contents de te voir arriver, d'abord, pis tu vas voir que tu vas revenir en rampant ça s'ra pas long! C'est toute c'que tu sais faire, élever des chiens pis faire la «girlie» sur le stage, Charlotte, ça fait que fais-le pis ferme ta boîte!

CARLOTTA
(tout bas)

Dire que j'ai marié ça parce qu'y'était beau pis que j'l'aimais... Dire que j'ai toute sacrifié parce que j'l'aimais...

JOHNNY

Quoi?

CARLOTTA

Pis dire que je l'aime encore...

JOHNNY

Parle pour que je t'entende, bonyeu!

CARLOTTA

J'parle tu-seule, Johnny, j'parle tu-seule... C'est assez pas intéressant, c'que j'dis, si tu savais...

JOHNNY

Tu parles tu-seule un peu trop souvent, depuis quequ'temps! Si t'es t'après venir folle par-dessus le marché, fais-toi soigner! Pis dépêche-toi de recoudre ta robe, là, le show va commencer dans une demi-heure... Y'a rien dans le journal d'à soir mais y'a peut-être des reporters dans la salle! Faut faire attention! On est en vedette, y faut que notre numéro soye bon! Pis j'ai invité quequ'chums à v'nir au deuxième show, à soir... J'ai dit que c'était le meilleur... On va leur en spotter, tu vas voir, ma belle Charlotte...

Carlotta lance la robe sur la table et se lève.

CARLOTTA

Aie, écoute... Écoute-moi un peu... Écoute-moi deux minutes sans me couper la parole, okay? J'ai quequ'chose de ben important à te dire... Ouais, j'ai quequ'chose de la plus haute importance à te dire... Tu veux que j'me ferme, hein? Ben moi aussi j'veux que tu te fermes pis que t'arrêtes de rêver en couleurs, ça fait que j'vas me décharger le cœur une fois pour toutes! *(Elle ferme la porte à toute volée.)* Pis laisse Kiki japper tant qu'a voudra, ça va lui faire du bien! Aie, veux-tu que j'te dise que c'est que ça vaut, not'-numéro, Johnny, veux-tu que j'te dise que c'est que ça vaut? Ben c'est un beau zéro, Johnny, un beau gros zéro majuscule! C'est effrayant, not'numéro, Johnny, c'est ridicule!

JOHNNY

Aie, tu y vas un peu fort!

CARLOTTA

Parle pas! Ferme-toi! Laisse-moi parler! Y'a peut-être déjà été bon, not'numéro, Johnny, mais là ça fait douze ans qu'on le fait, le même depuis douze ans, ça fait qu'y commence à être moins bon! Le monde commence à l'avoir pas mal vu! On a même été obligés de revenir à Montréal parce qu'y nous ont trop vus, aux États! Pis quand on va y retourner, tout c'qu'on va avoir à leur montrer de neuf, ça va être tes beaux éclairages si bien réussis! Veux-tu, j'vas te donner un exemple, Johnny? Regarde-moi, regarde-moi ben dans les yeux, là... T'en rappelles-tu quand tu t'es mis dans la tête de passer à la télévision, t'en rappelles-tu de ça?

JOHNNY

Ben, on y'a été, aussi, à la télévision!

CARLOTTA

Ah! oui on y'a été, ça, pour y'avoir été, on y'a été! Ça nous a pris trois ans mais on y'a été! T'en as parlé pendant trois ans avant d'y arriver, mais t'as réussi! T'as au moins réussi ça dans ta vie! Mais j'pense que t'aurais dû laisser faire! On y'a été mais on y'a jamais retourné, par exemple! Pis ça fait six ans, de ça! Ben, c'est parce qu'on n'est pas ben ben bons! Le monde qui viennent dans les cabarets où on passe y trouvent ça ben drôle notre numéro parce qu'y sont à moitié paquetés pis que ça les fait ben rire de voir une chienne habillée en mariée pis un singe déguisé en Uncle Sam. Mais les millions de monde qui regardaient la télévision le soir qu'on est passé, y'ont pas dû trouver ça drôle, eux autres! Pis t'étais assez énervé, c'te soir-là, que t'as donné un coup de fouet à un chien en pleine télévision parce qu'y voulait pas marcher sur sa baloune rouge! Tu gâches toujours toute, Johnny! T'es t'un rêveur, pis tu seras toujours un rêveur! Quand t'as décidé de devenir dresseur de chiens, c'est pas parce que t'aimais les animaux, non, c'est parce que t'avais pas une cenne noire devant toi, à vingt-huit ans, que tu savais rien faire pis qu'un de tes chums t'avait mis ça dans la tête! T'avais toute essayé, à Montréal, Johnny, pis t'avais jamais rien faite! T'avais jamais rien réussi de ta maudite vie! T'avais quasiment trente ans pis tout c'que tu savais faire c'était de jouer au pool pis d'aller aux courses avec l'argent des autres! Pis moi, la cave, j't'aimais! Ben oui, j'avais eu le malheur de te rencontrer à la porte du poolroom pis de tomber en amour avec toi même si t'étais un bum pis que tu couraillais toutes les p'tites filles que tu rencontrais! Rappelle-toi un peu de ça, Johnny Mangano, rappelle-toi un peu du temps où tu t'appelais encore Jean Ladouceur pis que tout le monde riait de ton nom dans ton dos parce que tu faisais le toffe! «Le gros toffe à Ladouceur», comme y disaient! Aie, j'm'en rappelle comme y faut, moi, Johnny, j'm'en rappelle rare! T'avais jamais réussi à faire une maudite cenne parce que t'étais trop rêveur pis que tu partais pour la gloire un peu trop facilement! Pis un beau jour, la vraie manne, un vrai conte de fée, un de tes bons amis t'apprend qu'y connaît un éleveur de chiens savants qui veut vendre ses chiens pour pas cher, pis que tu devrais te lancer là-dedans! Trois verres de bière à'taverne, pis tu te voyais déjà le plus grand dresseur de chiens d'Amérique! Toute notre vie s'est décidée à'taverne, devant une table remplie de verres de bière! Penses-y un peu, Johnny, as-tu déjà entendu quequ'chose de plus ridicule? J'irais conter ça à un courrier du cœur, qu'y me croiraient pas! T'avais jamais approché un chien de ta maudite vie! Pis tu les as achetés à crédit, sans même les voir, à part de ça, les verrats de chiens! T'es parti sur une baloune tu-suite! Tu te voyais en grande vedette dans les cabarets des États-Unis pis tu savais même pas combien de pattes ça a, un chien! C'est pour ça que j'me suis pendue après toi quand t'as voulu partir! J't'aimais, Johnny, pis je savais que si tu partais tu-seul tu te casserais encore la yeule, pis pour de bon, c'te fois-là! Aie, fouille un peu dans ta p'tite tête, bébé, pis essaye de te rappeler ce qui s'est passé pour de vrai! Arrête de te chanter des chansons, là, pis reviens sur la terre, un peu! Hein? T'en rappelles-tu, là? Quand on est arrivé à Providence, Rhode-Island, qui c'est qui s'est rendu compte qu'y'avait pas la patience d'endurer les chiens qu'y'avait acheté, hein? Qui c'est qui a dit que ça faisait trop de train, les chiens, que ça y tombait sur les nerfs, les chiens?

Johnny se lève.

JOHNNY

Ta yeule, Carlotta!

CARLOTTA

Chus pas un chien, Johnny, pis tu me feras pas fermer de même!

Johnny lève le bras pour la frapper.

CARLOTTA

Pis c'est pas ça non plus qui va me faire taire! Rassis-toi pis écoute! *(Elle le pousse dans son fauteuil.)* Fallait s'y attendre, c'était toutes des chiens malades que t'avais achetés! Pis y nous sont toutes morts dans les bras en deux semaines! Y'a rien que Kiki, la verrase de Kiki, qui y'a pas passé! Maudit que c'est drôle! Maudit que c'est drôle! Ben qui c'est qui s'est effouerré en braillant dans la chambre d'hôtel parce qu'y se r'trouvait devant rien, hein, c'est-tu moi ou ben donc si c'est toi? T'avais pas la patience de les endurer, ces chiens-là, mais tu savais qu'y gagneraient ta vie, parce que moi, j'm'en occuperais, la folle, la cave! Pis après, qui c'est qui a cherché pendant des jours un livre qui montrait comment dresser un chien? Ah! c'est toi qui l'as lu, le livre, moi, j'savais pas l'anglais, mais qui c'est dans nous deux qui a parti l'affaire pis a montré à Kiki ses premiers tours tu-seule! C'est moi! Ah! a savait déjà quequ'p'tites affaires, mais a faisait rien que partie des chorus girls dans le numéro de chiens morts, a l'avait jamais été en vedette tu-seule! Ben c'est moi, Charlotte Toupin, la fille du p'tit plombier de Montréal, qui y'a toute montré ça! Ben oui! J'ai faite de Kiki la «chorus girl», Kiki la Star! C'est moi qui t'as montré à endurer une chienne de dix mois, Johnny, pis c'est moi qui t'as montré à dresser des chiens! Si j'avais pas été là, t'aurais rien faite! Pis si j'ai tout faite ça, c'est parce que j't'aimais pis qu'on n'avait pas assez d'argent pis trop d'orgueil pour revenir à Montréal tu-suite! Moi, j'voulais qu'on fasse un p'tit numéro quequ'temps, le temps de payer notre dette de chiens morts, pis qu'on revienne à Montréal, après! Ben verrat, y fallait que ça marche! Y fallait que le monde aime ça! T'en rappelles-tu, la première fois qu'on est monté sur un stage? On était deux pis on avait rien qu'un chien à montrer! Toi, t'avais déjà ton nom sur l'affiche du cabaret, mais Kiki c'est rien que moi qu'a l'écoutait, ça fait que j'étais obligée d'y faire faire ses niaiseries moi-même en plus de faire la «girlie»! Toi, laisse-moi te dire que t'avais l'air d'un beau nono avec ton fouet! Ben bonyeu, le monde ont aimé ça! Comprends-tu ça toi? Moi, j'comprends pas! Le monde ont aimé ça! C'est peut-être qu'y nous trouvaient tellement ridicules avec notre poodle rose que ça les faisait rire! Y nous trouvaient peut-être plus drôle que notre chien! Ça fait qu'on a continué, hein? Veux, veux pas, j'étais pognée, moi, c'était la première fois que tu faisais de l'argent! Ça fait qu'on a acheté d'autres chiens, des bons, ceux-là, des pas malades, pis un singe. Là, t'as commencé à pouvoir les endurer pis à pouvoir travailler avec eux-autres... Je dirais même que c'est là que tu t'es découvert une passion pour les animaux! Aie, avec toi c'est toute ou rien, hein? Un jour, tu peux pas endurer les chiens, le lendemain, t'es pâmé sur les chiens! Johnny, c'est là que t'as commencé à t'occuper de Kiki plus que moi! Pis t'as jamais arrêté de t'occuper de Kiki plus que de moi! On est loin d'être les meilleurs éleveurs de chiens des États-Unis comme tu le dis dans notre publicité, Johnny!

Pis Kiki, c'est peut-être la plus vieille chienne du showbiz, — ça, pour être vieille, est vieille — mais c'est pas la plus savante! C'est sûrement la plus ridicule, par exemple! Des fois, j'la r'garde, sur le stage, pis j'la trouve assez laide, mais assez laide! Je l'haïs, c'te chienne-là, Johnny, je l'haïs! Chus même pus capable de l'endurer sur le stage! Des fois j'aurais envie de l'enfarger pour qu'à fasse rire d'elle! C'te grosse affaire rose déguisée en jeune mariée, ça me donne mal au cœur! Une vieille chienne habillée en jeune mariée, c'est effrayant, au fond, Johnny! Pis c'est c'te vieille affaire-là que t'aimes plus que moi!

> *Johnny se lève brusquement et gifle Carlotta. Carlotta ne bouge pas. Elle le regarde fixement. Johnny fait un geste pour la prendre dans ses bras mais elle s'échappe et va s'asseoir à la table de maquillage. Un régisseur se passe la tête dans la porte.*

LE RÉGISSEUR
Cinq minutes, monsieur Mangano, cinq minutes!

Johnny se gourme.

JOHNNY
Oui, oui, on s'ra prêts!

Kiki jappe.

JOHNNY
Ta yeule, Kiki! *(Au régisseur:)* Ces maudits chiens-là, ça arrête pas de japper... *(Le régisseur disparaît. Johnny s'approche de Carlotta.)* T'as fini, là?

CARLOTTA

Non, mais chus tannée. Ça sert à rien de parler... Que c'est que tu veux, on est pognés icitte, pis on va y rester... Le vois-tu le bout du tunnel toi? Moi, j'le vois pas. La grande noirceur. Comme mes sorties de scène... On s'assomme sur la porte de fer...

JOHNNY

C'est ben beau tout c'que tu viens de dire là, Carlotta, t'en avais jamais tant dit. C'est facile de prendre le beau rôle, comme ça... Tout c'que tu viens de dire sur nos débuts, c'est peut-être vrai, mais t'oublies une chose, par exemple... Tu contes rien qu'un côté de la médaille... *(Il se penche très près de l'oreille de Carlotta.)* T'oublies de dire une chose, ma belle Charlotte... Si tu m'as suivi pis que tu m'as jamais laissé tomber, y'avait une raison... T'avais autant besoin de moi, que moi de toi, Charlotte... *(Il la caresse.)* Tu vois c'que j'veux dire? Tu m'as jamais trompé parce que t'étais pas capable... Tu voulais m'avoir pour toi tu-seule pis t'as toute faite pour y arriver? Toute! C'est pour ça que t'as parti le numéro... Ta cage, tu te l'es bâtie toi-même! On est pognés ensemble, Charlotte, pis on s'ra toujours pognés ensemble. Y'a rien pour nous dépogner. Tu m'as suivi toute ta vie mais c'est pas pour moi que tu l'as faite, comme tu dis, non, c'est pour toi! C'est pas de ma faute si t'es pas devenue une danseuse, Carlotta, c'est de ta faute à toi! C'est de ta faute à toi... J'ai l'air mou, des fois, comme ça, j'me laisse engueuler, mais j'sais c'que j'fais! J'sais que tes crises finissent toujours par finir pis que j'vas gagner, au bout du compte... Chus pas si épais que j'en ai l'air, Charlotte! C'est toi qui as besoin de moi! Pis j'le sais en maudit! *(Il l'embrasse dans le cou.)* J'vas aller préparer les chiens. C'est ben beau de s'engueuler, mais y faut ben gagner sa vie, hein? Faut soigner nos chiens pis notre singe... *(Il se dirige vers la porte. Juste avant de sortir, il se tourne vers Carlotta.)* Kiki a besoin d'être peignée avant le show... *(Il sort. Kiki jappe.)* Allô, ma belle pitoune, comment ça va... Oui... on va la peigner, là...

Carlotta prend la robe de mariée. Elle se regarde dans la glace.

CARLOTTA

Ben oui. Ben oui. Moi aussi, j'sais tout ça... On est rendus au fond pis on r'montera jamais. On va rester pognés avec nos chiens pis notre singe jusqu'à ce qu'on crève de vieillesse. La «girlie» va être en chaise roulante mais les chiens vont faire leurs niaiseries pareil! Quand Kiki va mourir, on va habiller Shirley en mariée, pis quand Shirley va mourir, y'en aura une autre pour la remplacer... Pis nous autres on va rester collés ensemble comme deux vieilles charognes... On va devenir des vieux dresseurs de chiens... Aie, j'vas avoir passé ma vie à faire la folle sur un stage, en arrière d'une chienne que j'peux pas sentir, pour l'amour de Jean Ladouceur, alias Johnny Mangano, qui se sera juste servi de moi comme de ses chiens! J'vas avoir passé ma vie à dresser des chiens que mon mari aime plus que moi! Pis par ma faute, à part de ça! Parce que ça va être moi qui va y'avoir faite aimer les chiens! C'est moi qui va y'avoir faite aimer Kiki! *(Elle se lève et vient se planter devant la grande affiche.)* Maudite folle! Maudite folle! «And his Astonishing Dogs»! Pis moi j'fais partie des «astonishing dogs»! C'est peut-être ça qui est «astonishing», après toute! «Johnny Mangano and his Astonishing Girlie! and their Dog Kiki»! *(Elle revient s'asseoir à la table de maquillage et prend la robe de Kiki. Elle se met à coudre, puis s'arrête. Elle se regarde dans la glace.*) Après toute, chus peut-être pas si poquée que ça! Y'en a, des marcheuses de mon âge! Y'en a même des plus vieilles! Pis qui se disent «danseuses» à part de ça! Chus pas plus essoufflée qu'une autre! Mourir marcheuse ou mourir «girlie» de chiens savants... J'aime autant mourir marcheuse... Au moins, j's'rai tu-seule en scène... J'ai rien qu'à faire le même numéro... Avec les chiens en moins! Pis Johnny, chus peut-être capable de m'en passer! (*Un temps.*) Chus capable, de m'en passer, de Johnny! (*Kiki jappe. Carlotta sursaute comme si on lui avait donné un coup de couteau dans le dos. Au même moment, Johnny entre. Carlotta se retourne et le regarde en souriant.*) J'm'en vas, Johnny!

JOHNNY

Quoi? Parles-tu encore tu-seule?

CARLOTTA

J'dis que j'm'en vas, Johnny! J'viens de décider que j'm'en vas!

JOHNNY

Voyons donc, Charlotte...

CARLOTTA

J'reste à Montréal, Johnny! J'rentre sus ma mère! Pis si ça marche pas comme marcheuse, j'irai travailler dans un pet shop!

JOHNNY

Voyons donc, Charlotte, t'es t'après v'nir folle pour vrai!

CARLOTTA

Ben non!

JOHNNY

Sais-tu c'que tu dis?

CARLOTTA

Ben oui!

JOHNNY

Mais tu m'aimes!

CARLOTTA

Ben oui! Mais j'm'en vas pareil! J'te laisse!

JOHNNY

Voyons donc, Charlotte, c'est pas à cause de ce qui s'est passé tout à l'heure, toujours, c'est pas parce qu'on s'est engueulés un peu plus que d'habitude qu'y faut que t'en fasses un drame! C'était pas grave! J'm'excuse, là... Tu sais ben que j't'aime, ma belle Charlotte... On va toute oublier ça... Tu vas l'avoir, ton costume neuf... Que c'est que j'vas faire, moi, si tu t'en vas?

CARLOTTA

Ben, tu vas continuer!

JOHNNY

T'as plus le tour que moi avec les chiens, ma punaise, tu le sais ben... Pis Kiki, y'a rien que toi qu'à l'écoute, y'a rien que toi qu'à l'aime!

CARLOTTA

Ben qu'à crève! Oui, bonyeu, qu'à crève, Kiki! Moi, je l'haïs! Pis j'm'en vas!

Le régisseur se passe la tête dans la porte.

LE RÉGISSEUR

Deux minutes! Deux minutes!

JOHNNY

Ah! toi, ta yeule! *(Le régisseur disparaît.)* Voyons donc, Charlotte, tu sais ben que j'ai besoin de toi! Y me faut une fille!

CARLOTTA

C'est ça, tu t'en trouveras une autre! Les État-Unis sont pleins de «girlies»! C'est même rien que ça, qu'y'a, des «girlies», aux États! À part de ça, tu peux en profiter pendant que t'es à Montréal pour essayer de te trouver une autre poire comme moi! On sait jamais, une chance, des fois!

JOHNNY
(la prenant par le cou)

Tu peux pas me faire ça ma punaise! Le show va commencer d'une minute à l'autre! Y'a peut-être du monde important, dans's'salle!

CARLOTTA

J'm'en sacre! Entends-tu, Johnny, j'm'en sacre! J't'assez contente, Johnny, j'm'en sacre!

JOHNNY

Tu peux pas me faire ça, tu peux pas me laisser tu-seul, j'peux pas le faire tu-seul, c'te numéro-là!

CARLOTTA

Ben oui, tu peux, ben oui...

On entend la musique d'ouverture du spectacle.

JOHNNY

Ça va commencer, Charlotte!

CARLOTTA

Ben, vas-y... Cours... Va chercher les chiens...

JOHNNY

Chus pas capable, tu-seul, Charlotte, chus pas capable, tu-seul! Tu le sais bien!

CARLOTTA

Ben oui, t'es capable, ben oui... Dis-toi que t'es capable, Johnny.

Le régisseur se passe la tête.

LE RÉGISSEUR

En scène, monsieur Mangano, en scène...

Johnny court derrière le paravent chercher son tuxedo et prend Charlotte par la main.

JOHNNY

Vite, viens, ça commence...

CARLOTTA
(doucement, souriant)
J'ai dit que j'y allais pas, Johnny...

Le régisseur entre dans la loge.

LE RÉGISSEUR

On vous attend en scène, monsieur Mangano...

VOIX DU M.C.

Le chic cabaret «Coconut Inn» a l'honneur de vous présenter pour la première fois à Montréal, «Johnny Mangano and his Astonishing Dogs»!

Crescendo de l'orchestre. Carlotta pousse Johnny dehors.

CARLOTTA

Vite, vite, vas-y, ça commence...

L'orchestre s'arrête. Murmures dans le public. Les cinq danseuses du «Coconut Inn» s'approchent lentement de la loge.

JOHNNY

Charlotte! Viens donc! Vite, c'est commencé!

VOIX DU M.C.

Le chic cabaret «Coconut Inn» a l'honneur de vous présenter...

JOHNNY

Charlotte!

VOIX DU M.C.

...pour la première fois dans notre beau Montréal, la ville de l'Expo...

JOHNNY

De quoi j'vas avoir l'air?

VOIX DU M.C.

...un numéro sensationnel...

CARLOTTA

Vas-y, Johnny, vas-y...

VOIX DU M.C.

...Johnny Mangano and his Astonishing Dogs!

CARLOTTA

Prouve-moi une fois dans ta vie que t'es un homme! Va les montrer tu-seul, tes verrats de chiens!

Murmures dans le public.

VOIX DU M.C.

Si y viennent pas, on va faire revenir les girls! Y a peut-être un chien qui a le distemper! J'ai déjà connu une petite chienne qui s'appelait Marguerite...

Rires. Carlotta se prend la tête à deux mains. Johnny sanglote dans l'embrasure de la porte.

JOHNNY

Chus pas capable, tu-seul! Tu peux pas me laisser comme ça! Tous les gars sont dans la salle! J'vas avoir l'air d'un épais! T'as quand même pas envie que j'fasse rire de moi! T'as quand même pas envie de passer pour une sans-cœur! Je le sais que t'es pas une sans-cœur, Charlotte! Je le sais que t'es capable de comprendre! J'ai besoin de toi! T'avais raison sur toute la ligne! Si tu t'en vas, chus pus rien! J'te supplie... devant tout le monde... de rester, Charlotte!

Johnny est aux pieds de Carlotta. Carlotta se regarde dans la glace, et voit le tableau.

CARLOTTA

Y'est pas capable, tu-seul! Y'est pas capable sans moi! Y ira pas, sans moi! *(Un temps.)* Les spots verts! Les spots verts! *(Un temps.)* Ben, écoute donc, t'as juste à t'arranger pour être belle dans les spots verts, Carlotta! *(Elle prend la robe de mariée et sort de la loge en criant.)* Kiki! Kiki! On est en retard! Vite! Vite! Dépêche-toi! Viens, ma belle Kiki, viens dans tes beaux spots roses, ma tante va faire la folle, pendant ce temps-là, en arrière de toi...

> *L'orchestre attaque un air sud-américain. Applaudissements. Sifflements. Johnny se précipite sur la scène en courant.*

GLORIA STAR

La coulisse du «Coconut Inn». En se dirigeant vers la scène, Carlotta passe parmi les cinq danseuses qui s'étaient groupées devant la loge pour la fin de la scène.

CARLOTTA
(aux filles)

Vous êtes v'nues voir le show? Une femme de tête, c't'une femme de tête, hein? Si vous voulez des cours, vous viendrez voir ma tante Carlotta, a va toute vous montrer comment le garder, votre gars.

MARGOT
(ironique)

Oh! pardon...

LISE

Excusez-nous...

LAURETTE

Une instant... Laissez passer la madame...

Carlotta vient se placer près du régisseur en attendant son entrée en scène. Elle tient Kiki, un affreux caniche rose, dans ses bras.

*Le régisseur, un Français à l'accent très prononcé,
est très occupé à faire les éclairages et à donner
des ordres à l'homme à tout faire.*

LE RÉGISSEUR

Paul... Paul... Les rideaux ne sont pas assez ou-
verts... Essayez de les tirer, un peu... Faites attention
de ne pas vous faire voir par exemple... *(Dans son
téléphone:)* Louis, tu m'entends? En bleu quand le
chien sautera dans le cerceau... Bleu! C'est ça! En
vert, maintenant, pour l'entrée de la fille...

*Crescendo de l'orchestre. Les filles se sont ap-
prochées et entourent le régisseur et Carlotta. Le
M.C. est avec elles.*

LE M.C.
(à Carlotta)
Que c'est qui s'est passé, donc?

LE RÉGISSEUR
(à Carlotta)
À vous, madame!

CARLOTTA

Je le sais quand rentrer, trésor, ça fait douze ans
que j'le fais, c'te numéro-là! Mon Dieu! J'ai pas eu
le temps de mettre la robe de mariée à Kiki!

*Tous ricanent. Carlotta met la robe de Kiki entre
les mains du régisseur et fait quand même son
entrée, un sourire triomphant aux lèvres.*

LE RÉGISSEUR
Du rose! Du rose! C'est ça! Spot vert sur la fille.

LE M.C.
Que c'est qui s'est passé, donc?

MARGOT
(au régisseur)
A te l'as-tu donnée, la robe de mariée, ou ben donc si a te l'a pas donnée?

LISE
Ça te ferait un beau chapeau, en tout cas...

MARGOT
Hon, oui, tu s'rais cute, là-dedans! *(Elle prend la robe et essaie de la mettre sur la tête du régisseur qui se dérobe en maugréant. Les filles rient.)* Aie! J'te dis que c'est du beau stuff! Y'en a pas une de nous autres qui s'rait capable de se payer un costume pareil!

LE RÉGISSEUR
T'en fais pas, t'en porteras jamais, une robe comme celle-là...

MARGOT
Je le sais que chus pas une fille qu'on marie, bébé!

LISE
Pourquoi pas? Pourquoi tu te marierais pas?

Les autres rient.

LE RÉGISSEUR
(dans son téléphone)
Attention au prochain, tu l'as manqué, hier...

LAURETTE
(qui regarde sur la scène)

Y'a beau être ben sexy, son gars, j'voudrais pas être pognée avec ces chiens-là, moi!

LE RÉGISSEUR

Essaie d'arriver en même temps que moi...

LE M.C.
(à Margot)

T'aurais pas une cigarette?

MARGOT

C'est tout c'que t'es capable de faire, ça, bummer des cigarettes?

LE M.C.

Non, chus capable de faire ben d'autres choses...

Margot éclate de rire.

MARGOT

J'voudrais ben voir ça! Ça doit être drôle, rare!

DIANE
(au régisseur)

J'ai-tu eu un téléphone? C'est parce que mon chum est supposé de m'appeler...

LISE

Moi, en tout cas, chiens pas chiens, j'y ferais pas mal à ce gars-là...

LE RÉGISSEUR
Ben oui, j'le sais que c'est difficile avec des chiens, mais guette le caniche rose... Vas'y! *(Il pousse quelques manettes.)* C'est ça! Parfait! Tu vois?

GIGI
(regardant le régisseur)
Oui, y'est pas pire, mais moi, ça m'en prend plus que ça pour me pâmer...

LAURETTE
(en montrant le régisseur)
Oui, toi, on sait c'que c'est ton genre...

GIGI
Que c'est que tu veux dire, par là...

LE M.C.
(imitant le régisseur)
Mesdemoiselles! Mesdemoiselles! On va vous entendre de la salle!

LE RÉGISSEUR
(au M.C.)
Chut... On va vous entendre de la salle!

Tous rient.

LE RÉGISSEUR
(au téléphone)
Quoi? J't'entends mal...

DIANE
Moi, j'voudrais ben savoir...

LAURETTE

Ben non, ben non, t'en a pas eu de téléphone! Es-tu fatiquante! Envoye, va l'appeler, là, c'est ça que tu fais à tous les soirs, de toute façon! Pis tu le rejoins jamais, y'est toujours paqueté dans le fond d'une taverne...

Diane part.

LE RÉGISSEUR

Non, elle n'a pas eu le temps de lui mettre sa robe de mariée, cette fois... Ça s'engueulait, en arrière, t'aurais dû entendre ça...

LE M.C.
(à Margot)

Que c'est qui s'est passé, au juste, donc?

GIGI
(à Margot)

J'sais pas pourquoi tu m'as faite acheter ça, c'te brassière-là. Ça me coupe comme une scie...

MARGOT

Tu vas t'habituer...

LE RÉGISSEUR

Elle ne voulait plus faire le numéro... C'était d'un drôle... Attention... Bleu!

LE M.C.
(à Gigi)

Tu devrais pas en porter pantoute...

LAURETTE

Toi, t'es drôle! Occupe-toi donc de tes biseness... Nous vois-tu faire notre numéro sans brassière? Ça revolerait pas pantoute, d'abord! Veux-tu une cigarette? Tu iras jouer plus loin, après, tit-boute...

LISE

N'empêche que ça doit en prendre, d'la patience... Aie, toute leur montrer ça...

Diane revient.

DIANE

Moi, si y'appelle pas, j'fais une dépression nerveuse!

LAURETTE

Fais donc ça, tiens, ça va nous reposer pour quequ'temps...

LE RÉGISSEUR

Rouge!

GIGI

Est encore belle, elle, par exemple..

LAURETTE

J'cré ben, tout c'qu'à l'a à faire c'est de se promener en arrière des chiens... C'est pas fatiquant, ça...

LE RÉGISSEUR

Oui, elle va mieux... Le médecin est venu... C'est seulement une grippe... Et toi, ta femme, ça va?

MARGOT

Ouan, ben les filles, c'est quand même notre heure de break, hein? On devrait aller s'effouérer dans'loge, un peu...

GIGI

Y fait assez chaud...

LAURETTE

On sait ben, toi, tu veux rester à côté de ton idole.

Les autres rient.

GIGI

Vous êtes donc drôles!

Diane revient, encore une fois.

DIANE

Y'est pas là.

LE M.C.
(à Gigi)

Si y fait trop chaud dans ta loge...

GIGI

J'ai comme l'impression qu'y f'rait encore plus chaud dans'tienne!

MARGOT

Eh ben, pour une débutante, tu te défends ben, ma fille... a t'en bouche un coin, hein, tit-boute?

Tous rient. Une femme arrive en trombe au milieu des rires, traverse le groupe et vient se placer près du régisseur.

LES FILLES
Voyons... voyons... Que c'est ça... ça pousse... ça pousse...

LA FEMME
(au régisseur)
Est-ce que tout est prêt? La vedette est arrivée! Elle sera prête d'un moment à l'autre...

MARGOT
Seigneur-Dieu! Quand a l'arrive, a l'arrive, elle!

LE RÉGISSEUR
(qui n'a pas compris)
L'orchestre est encore en retard? On l'a pourtant bien répété, ce bout-là, avant-hier!

LA FEMME
Jeune homme!

LE RÉGISSEUR
Quoi? C'est la fille qui va trop vite?

Il rit.

LA FEMME
Jeune homme, je vous parle!

Le régisseur sursaute.

LAURETTE
Wow! Une instant!

MARGOT
À l'a, la voix de son maître, elle!

LE RÉGISSEUR
Quoi? Qu'est-ce qu'il y a?

LA FEMME
Nous venons d'arriver... La vedette de votre spectacle est là... Elle s'habille!

LE RÉGISSEUR
Ah! bon, vous êtes l'agent de Gloria Star!

LISE
Une agent! Une vraie!

LE RÉGISSEUR
On ne vous attendait plus! Qu'est-ce qui vous a empêchées d'arriver pour le premier spectacle? Nous n'avons même pas eu le temps de répéter une seule fois!

LA FEMME
Je ne suis pas responsable des tempêtes de neige qui empêchent les avions d'atterrir, jeune homme!

LAURETTE
Ben oui, hein, l'avion atterrissait pas...

MARGOT
C'tu de valeur... Pauvres elles..

LA FEMME
Est-ce que tout est prêt?

LE RÉGISSEUR

Oui, madame, tout est prêt...

GIGI

Ben voyons, on vous attendait comme le Messie...

LA FEMME

Parce que Madame Star ne travaille pas en amateur...

LAURETTE

Aie, wow hein? A charrie, là!

LE RÉGISSEUR
(dans son téléphone)

Excuse-moi, vieux... C'est la vedette qui vient d'arriver...

MARGOT

Vedette mon œil...

LE RÉGISSEUR

La vedette! Oui, oui, la strip... Écoute, tout est prêt pour son numéro, n'est-ce pas? Oui elle passe tout de suite après les chiens...

LAURETTE

Nous autres, on passait juste avant...

LA FEMME

C'est cela, la scène...

LAURETTE
(tout bas)

Non, madame, ça, c'est les loges. Ouan! Pis la scène, c'est en bas, dans'cave!

LA FEMME

Plaît-il?

LAURETTE

Rien... rien... Bon, ben moi, j'pense que j'vas me retirer dans mes appartements... J'ai un lavage à faire... V'nez-vous, les stars? *(Au régisseur:)* À tout à l'heure, jeune homme...

Les cinq filles partent en ricanant. La femme les regarde partir, hautaine.

LA FEMME

Cervelles d'oiseaux.

LE RÉGISSEUR

Le prochain est en rose... Et moi, j'envoie tout mon jus quand le singe sort de sa boîte... Vas-y!

Grand rire du public. Applaudissements. Siffle-ments. La femme lève les yeux au ciel. Le régisseur accroche l'homme à tout faire qui passait par là.

LE RÉGISSEUR

Paul! Paul! Pourriez-vous vous arranger pour faire savoir à l'orchestre que Gloria Star...

L'HOMME À TOUT FAIRE

Qui?

LE RÉGISSEUR

Gloria Star! La vedette! Elle est là! Dites-le au pianiste! Ce n'est pas nécessaire de lui crier dans les oreilles, par exemple!

*Le régisseur aperçoit la femme qui est restée der-
rière lui.*

LE RÉGISSEUR
Vous regardez le spectacle?

LA FEMME
Les numéros de chiens savants n'ont jamais été
ma passion, si vous saviez...

LE RÉGISSEUR
Si c'est la scène... Bleu! Si c'est la scène que
vous essayez de juger, ne vous en faites pas, tout
marchera comme sur des roulettes! Madame Star n'a
pas à s'inquiéter, nous...

LA FEMME
Gloria Star ne s'inquiète jamais, jeune homme!
Gloria Star pourrait faire son numéro sans musique,
sans éclairages, dans la rue, et demeurer tout aussi
sublime!

Le régisseur réprime une envie de rire.

LE RÉGISSEUR
Madame Star n'aura pas à faire son numéro sans
musique, ou sans éclairages, ou dans la rue, nous
sommes prêts!

LA FEMME
Vous croyez?

Le régisseur se tourne vers elle.

LE RÉGISSEUR

Nous ne sommes pas un établissement de second ordre, madame! Nous sommes toujours prêts à faire face à tous les problèmes! Surtout aux vedettes qui arrivent en retard!

LA FEMME
(en riant)

Voyez-vous ça... C'est la première fois que Madame Star se produit ici, n'est-ce pas.

LE RÉGISSEUR

Oui, c'est la première fois... Rose!

LA FEMME

J'ai idée que vous ne savez pas du tout ce qui vous attend... Au fait, est-ce que les clauses du contrat ont toutes été respectées? Est-ce que la pluie de plumes phosphorescentes est prête?

LE RÉGISSEUR

Oui, madame, la pluie de plumes phosphorescentes est prête!

LA FEMME

Gloria Star ne fait pas son numéro sans ses plumes phosphorescentes, vous le savez! Gloria Star est la seule à faire ce numéro et sa réputation...

LE RÉGISSEUR

Vous disiez tout à l'heure que madame Star pourrait faire son numéro sans musique, sans éclairages, dans la rue! Mais pas sans ses plumes?

LA FEMME

Est-ce que la musique est prête, aussi? Vous avez bien reçu la musique, n'est-ce pas?

LE RÉGISSEUR

Rouge! Non, excuse-moi, c'est bleu! Oui, madame, je vous ai dit tout à l'heure que TOUT était prêt! Vous allez avoir votre pluie de plumes, votre musique originale, vos ovations de public en délire, tout! Voulez-vous la chevauchée des Walkyries, aussi? Et un orchestre symphonique? Voulez-vous qu'on fasse venir la guerre du Vietnam à Montréal comme fond sonore? Orange! Vous semblez oublier qu'il était aussi spécifié dans votre contrat que madame Star devait se présenter au cabaret au moins trois heures avant le premier spectacle, pas cinq minutes avant le deuxième! *(Dans son téléphone.)* Écoute, je suis en train de m'engueuler avec l'agent de Gloria Star je ne peux pas faire deux choses à la fois!

LA FEMME

C'est vous le génie de l'éclairage dans cet établissement, d'après ce que je peux voir... Essayez d'être à la hauteur, mon petit, il faut toujours essayer d'être à la hauteur de Gloria Star...

LE RÉGISSEUR

Oh! vous savez, des strip-teaseuses, j'en ai vu depuis que je suis ici...

LA FEMME

Mais Gloria Star n'est pas une effeuilleuse ordinaire! Gloria Star est la plus grande effeuilleuse! Gloria Star est un astre étincelant dans le ciel des effeuilleuses!

LE RÉGISSEUR

C'est ce qu'elles disent toutes...

La femme le prend brusquement par le poignet.

LA FEMME

Si je vous dis que Gloria Star est la plus grande effeuilleuse, c'est qu'elle est vraiment la plus grande effeuilleuse, m'avez-vous comprise? Personne dans le monde du spectacle n'a atteint la perfection de Gloria Star! Jamais! J'ai travaillé cinq ans pour construire Gloria Star, pour faire d'elle une célébration de la Beauté, et j'ai réussi! Mettez-vous bien cela dans la tête, jeune homme : le spectacle que vous verrez ce soir est unique en son genre! J'y ai pensé toute ma vie; j'ai cherché ce corps parfait toute ma vie et lorsque je l'ai eu trouvé j'ai mis tout ce que j'avais d'expérience et d'amour pour en faire une apothéose, un point final, la Beauté dans toute sa splendeur! Tout ce que je n'ai pas pu faire moi-même lorsque j'étais jeune parce que je n'avais personne pour me guider, et peut-être parce que je n'avais pas assez de talent, aussi, je l'ai fait pour elle! Elle est le couronnement de ma vie! *(Plus bas:)* Ou, du moins, je croyais qu'elle serait le couronnement de ma vie... Et maintenant, je ne voudrais pas être obligée de me retirer comme un membre inutile... Maintenant, je voudrais créer quelque chose de plus grand encore, quelque chose qui ne s'est jamais vu... Mais je ne trouve pas...

LE RÉGISSEUR
(qui ne l'écoutait plus)

Ça va, ça va, c'est la plus grande... Moi, je veux bien... Si vous voulez bien me laisser travailler, maintenant... Je n'ai pas de strip-tease à préparer, moi, mais si vous voulez que vos éclairages soient à point...

Quelque chose semble avoir frappé la femme qui regarde le régisseur fixement...

LE RÉGISSEUR

Je le sais que c'est mon ouvrage de donner des cues, mais... Bon... bon... Attends un peu... Le prochain est orangé...

LA FEMME
(songeuse)

Un homme...

LE RÉGISSEUR

Okay! Vas-y!

Tout devient ambre.

LA FEMME

Dites-moi, jeune homme...

LE RÉGISSEUR

Madame, je travaille, vous me dérangez dans mon travail, êtes-vous capable de comprendre ça!

Il revient à son tableau d'éclairage.

LA FEMME

Je voulais vous demander... Je vous regarde, et... Avez-vous déjà pensé à... à vous produire sur une scène...

LE RÉGISSEUR

Quoi? Me... produire sur une scène?

LA FEMME

Je veux dire... Avez-vous déjà pensé... je ne sais pas, moi, à devenir comédien, ou chanteur... ou danseur...

LE RÉGISSEUR

Non! Je n'ai jamais pensé à me produire sur une scène! Je n'ai jamais pensé à devenir danseur!

LA FEMME

Ah... Mais n'avez-vous jamais pensé à la Gloire?

LE RÉGISSEUR

Non, là, vraiment, vous dépassez les bornes! Non, madame, je n'ai jamais rêvé à la gloire! Ai-je l'air d'un gars qui a déjà seulement pensé à la gloire? Je suis un garçon de table, moi, madame, et je fais les éclairages quand on a besoin de moi! Cette semaine, on a des maniaques des couleurs avec des chiens en couleurs et une strip-teaseuse qui fait son numéro avec une pluie de plumes phosphorescentes, alors on m'a demandé de ne faire que les éclairages! C'est tout!

Le régisseur retourne rageusement à ses occu- pations. La femme s'approche très près de lui.

LA FEMME

Et si je vous l'offrais, moi, la gloire?

LE RÉGISSEUR

Quoi? Qu'est-ce que vous dites?

LA FEMME

Oui, si je vous l'offrais, moi, la gloire?

LE RÉGISSEUR

Qu'est-ce que vous voudriez que j'en fasse?

LA FEMME

Vous vous croyez drôle? Ou alors seriez-vous totalement inintelligent? Savez-vous seulement ce que cela veut dire?...

LE RÉGISSEUR

La gloire?

LA FEMME

...la gloire!

LE RÉGISSEUR

Oui, madame, je sais ce que cela veut dire, madame, mais cela ne m'intéresse pas, madame! Et d'abord, comment vous y prendriez-vous pour me l'offrir, la gloire?

LA FEMME

Avez-vous déjà pensé à ce que cela donnerait si un jour un homme se déshabillait sur une scène?

LE RÉGISSEUR

Quoi! Un homme! Mais vous êtes complètement folle! Un homme! Nu sur une scène? Je vous en prie, assez plaisanté comme cela! Allez habiller votre gloire et laissez-moi travailler!

La femme prend le régisseur par le poignet.

LA FEMME

Je ne plaisante pas! L'ère de la femme-objet est révolue, jeune homme! Nous entrons maintenant dans l'ère de l'homme-objet!

LE RÉGISSEUR

Elle est folle! Je veux garder mes vêtements, madame!

Crescendo de l'orchestre. Rires, applaudissements. Le régisseur revient à son tableau d'éclairage.

LA FEMME

Regardez cette femme ridicule, sur la scène... Il y a quinze ans, j'aurais peut-être pu en faire quelque chose... une grande vedette! Mais aujourd'hui, il est trop tard! Il est trop tard pour elle... et pour moi. J'ai produit le numéro le plus parfait dans son genre, jeune homme: Gloria Star! Je ne peux pas faire mieux! Je dois regarder ailleurs!

LE RÉGISSEUR

C'est ça, regardez ailleurs! Vert!

LA FEMME

Je vous offre la Gloire! Et si vous refusez, je saurai bien vous forcer la main! Pensez à tous ceux qui rêvent à la gloire toute leur vie sans jamais pouvoir l'atteindre! Je vous offre la plus grande innovation du vingtième siècle!

LE RÉGISSEUR

Pourquoi moi?

LA FEMME

Pourquoi pas vous?

LE RÉGISSEUR

Il y a assez de danseurs de ballet qui ne demanderaient pas mieux..

LA FEMME

Non, il me faut quelqu'un dans votre genre...

LE RÉGISSEUR

Ah! bon, là, je comprends... si vous faites toujours vos avances de cette façon-là...

LA FEMME

Je ne vous fais pas d'avances! (*Elle lui enlève son téléphone.*) Et laissez cet instrument ridicule quand je vous parle! Regardez-moi! Regardez-moi bien! Depuis vingt-cinq ans j'ai produit les spectacles les plus courus du monde entier parce que j'ai toujours donné au public ce qu'il voulait... et même un peu plus! Les plus grandes danseuses, les plus grandes effeuilleuses sont passées entre mes mains et ont connu ce que Gloria Star connaît aujourd'hui: la Gloire! Et grâce à leur corps! Le corps humain est le chef-d'œuvre de la Création! L'antiquité entière a prôné le corps humain! Voyez les Grecs! J'ai passé ma vie à montrer des chefs-d'œuvre au public; j'ai passé ma vie à prouver au public, grâce à mon Art, que le corps humain est la plus belle chose qui soit! Mais il est une partie du public que j'ai toujours négligée, une partie du public qui est en train de devenir majorité: la partie du public qui demande quelque chose de neuf! Les femmes aussi veulent être provoquées, transportées, jeune homme!

LE RÉGISSEUR

Madame! Vous êtes complètement cinglée et je vous prierais de bien vouloir vous retirer dans la loge de votre vedette avant que j'aille vous y conduire moi-même!

LA FEMME

Comme ce serait jouissant! Imaginez-vous une assemblée de femmes en train de...

LE RÉGISSEUR

Fermez vos écluses! *(Il prend son téléphone.)* J'ai une joyeuse folle sur le dos, si tu savais, mon vieux! Elle est en train de m'offrir de devenir strip-teaseuse, rien de moins... Oui, oui, oui, une strip-teaseuse... Non, non, pas habillé en femme! En homme! Tout nu! Sur une scène!

LA FEMME

Je vois un grand espace vide... L'orchestre attaque un air barbare...

LE RÉGISSEUR

Rouge! Tu vois ça d'ici? C'est ma femme qui serait heureuse!

LA FEMME

Des projecteurs de toutes les couleurs envahissent la scène et vous paraissez, vêtu... vêtu... Oui, là, évidemment, il y aurait un petit problème vestimentaire...

LE RÉGISSEUR

Spot sur la chienne... Rose! Moi, j'envoie le bleu!

LA FEMME

Mais cela peut s'arranger... Oui, cela peut s'arranger pour que vous n'ayez pas trop de difficulté à vous déshabiller... Parce qu'avec un pantalon... Enfin... Ah! Je l'ai! Vous paraissez, vêtu en Arabe! Le Cheik d'Arabie! Et toute sa suite! Un spectacle à grand déploiement! Je vous offre un spectacle à grand déploiement! Le harem au grand complet! Vous paraissez, vêtu en Arabe, au milieu de vos femmes, de vos esclaves, de vos animaux! Des femmes superbes, à peine voilées, des esclaves noirs et huileux et... et des chameaux! Et vous commencez à vous dévêtir, lentement... Vous enlevez votre burnous, votre cafetan, vous délaissez vos sandales, devant un public de femmes en délire!

LE RÉGISSEUR

En rouge! Tout en rouge! Rien que du rouge! Pour la finale!

LA FEMME

Vous ne m'écoutez pas! Les femmes se traînent à vos pieds! Je vous offre l'hystérie collective!

LE RÉGISSEUR
(en riant)

Fini, les chiens, en place pour un strip! Je travaille, madame! Mais vous pouvez continuer, je vous écoute d'une oreille, vous êtes très drôle! Vous êtes sûre que ce n'est pas vous, le numéro? Gloria Star ne serait pas une comique, par hasard?

LA FEMME

Ah! Vous vous moquez de moi! C'est un défi! C'est bon! Je saurai bien vous convaincre! Que vous le vouliez ou non, vous la connaîtrez, la Gloire, jeune homme! C'est moi qui vous le dis!

Elle s'éloigne précipitamment! Crescendo de l'orchestre. Applaudissements.

VOIX DU M.C.

Here they are, ladies and gentlemen! Aren't they gorgeous? Et voilà, mesdames et messieurs, ne sont-ils pas gorgeux? Come on, une bonne main d'applaudissements! A good hand for our stars, ladies and gentlemen! Johnny Mangano and his Astonishing Dogs! Johnny Mangano et ses étonnants chiens! Thank you, Johnny, you are the most! Vous l'avez, l'affaire, continuez! N'est-ce pas, mesdames et messieurs, qui l'a l'affaire? *(Faibles applaudissements.)* Oui... c'est ça... Ils l'ont, l'affaire...

Johnny et Carlotta saluent puis sortent de scène.

JOHNNY

T'as faite exiprès pour la faire tomber! J't'ai vue! T'as faite exiprès!

CARLOTTA

Ben voyons donc, Johnny, voir si je m'amuserais à faire tomber les chiens, astheur!

JOHNNY

Pis t'avais même pas mis la robe de mariée à Kiki!

CARLOTTA

Écoute, Johnny, j'pouvais pas te regarder brailler pis mettre la robe de mariée à Kiki en même temps!

Elle claque la porte de la loge.

VOIX DU M.C.

Et maintenant, mesdames et messieurs, voici le moment que vous attendiez tous, le grand moment de la soirée... La grande vedette de notre spectacle. Préparez-vous à voir quequ'chose! Mesdames et messieurs, je vous donne: Gloria Star!

LE RÉGISSEUR

Black out!

Le noir se fait.

LE RÉGISSEUR

Lumières!

Lorsque les lumières reviennent, le décor a complètement disparu. Seuls restent le régisseur, Berthe, Carlotta, Johnny et la femme dans le grand studio vide.

Apparaît alors dans le noir une danseuse extraordinairement belle. Un air de strip-tease commence. La danseuse commence son numéro. Le régisseur semble hypnotisé. Le numéro de la danseuse se transforme peu à peu en une sorte de rituel où se marient des pas de danse et des gestes lents, inquiétants.

La femme se met à rire très fort.

La danseuse se dirige vers Carlotta et, d'un geste, la fait disparaître. Même jeu pour Berthe.

La danseuse se tourne vers le régisseur et lui fait signe de la suivre.

Le régisseur se dirige vers elle en dansant.

La femme rit de plus en plus fort.

LE DOORMAN

Showtime! Showtime!

TABLE

Achevé d'imprimer à Montmagny
par les travailleurs des ateliers Marquis Ltée
en octobre 1988